御本轩

中 華 國 學 禮

中華國學經典

第一辑

三字经 百家姓
千字文 弟子规
道德经

中共中央总书记、国家主席、中央军委主席习近平同志，在中共中央党校建校80周年庆祝大会上提道：“中国传统文化博大精深，学习和掌握其中的各种思想精华，对树立正确的世界观、人生观、价值观很有益处。”“学史可以看成败、鉴得失、知兴替；学诗可以情飞扬、志高昂、人灵秀；学伦理可以知廉耻、懂荣辱、辨是非。”

博大精深的中国传统文化，以典籍文献为载体，如同一棵繁茂的大树，经数千年风浸雨润，结出脍炙人口的国学经典的累累硕果。为了更好地推广深邃、厚重的中国传统文化，御本轩整理推出了这套《中华国学经典》藏书。“国学”一词，古已有之。现如今“国学”之意是指以中国传统文化典籍为载体，表现中华民族传统社会价值观与道德伦理观的思想体系，经受历史的锤炼打磨与自然的甄选淘汰，终成世界文化史上的瑰宝，受无数世人所瞩目与敬仰。

国内权威专家推荐

《中华国学经典》系列藏书由中国文化书院、北京大学哲学系、中国人民大学国学院、北京师范大学文学院、中共中央党校哲学部等院校著名教授联袂推荐。

王守常（北京大学哲学系教授，中国文化书院原院长）

李中华（北京大学哲学系教授、博导，中国文化书院原副院长）

李春青（北京师范大学文学院教授、博导）

过常宝（北京师范大学文学院原院长、教授、博导，河北大学副校长）

李　山（北京师范大学文学院教授、博导）

梁　涛（中国人民大学国学院副院长、教授、博导）

王　颂（北京大学哲学系教授、博导，北京大学佛教研究中心主任）

王　杰（中共中央党校哲学部教授、博导，中国实学研究会会长）

（排名不分先后）

选本经典 底本权威

《中华国学经典》系列藏书，分两函，每函 50 部，共百部。

古籍的入选标准为：在中国历史上影响力最大、传承范围最广。在此基础上，我们参照权威底本，进行整理，因此，这套图书具有很强的阅读与收藏价值。

【儒家经典】

1.《周易》 2.《论语》 3.《诗经》 4.《尚书》 5.《礼记》 6.《春秋左氏传》 7.《孟子》 8.《尔雅》 9.《孝经》

【诸子百家】

10.《道德经》 11.《庄子》 12.《墨子》13.《管子》 14.《荀子》 15.《韩非子》 16.《商君书》 17.《吕氏春秋》 18.《晏子春秋》 19.《淮南子》 20.《列子》

【蒙学经典】

21.《三字经·百家姓·千字文·弟子规》 22.《增广贤文》 23.《千家诗》 24.《童蒙须知·小学·朱子治家格言》 25.《声律启蒙·笠翁对韵》 26.《幼学琼林》 27.《龙文鞭影》 28.《格言联璧》

【历史地理】

29.《战国策》 30.《国语》 31.《史记》 32.《三国志》 33.《贞观政要》 34.《资治通鉴》 35.《群书治要》 36.《山海经》 37.《水经注》 38.《徐霞客游记》

【谋略智慧】

39.《鬼谷子》 40.《孙子兵法》 41.《三十六计》 42.《六韬·三略》 43.《素书》 44.《忍经·劝忍百箴》 45.《智囊》46.《人物志》47.《长短经》48.《处世悬镜》 49.《呻吟语》 50.《止学》

装帧雅致 典藏品质

《中华国学经典》系列藏书，外包装以礼盒形式呈现，典雅大气，高端品质。

图书包装采用双封面，镂空烫银工艺，每书一图，精心绘制，装帧美观、大方。

图书内文版式雅致，采用环保油墨印刷，阅读舒适、安全。

其中，对于图书封面，我们进行了精心设计，每套都采用独特的古典镂空图案，寓意吉祥。

象征儒家思想对中国几千年的巨大影响。

象征“百花齐放，百家争鸣”的古代诸子思想是中国文化的基础。

象征蒙学为孩子打开一扇“新世界”的窗口。

象征中国历史与地理“天人合一”的理念。

象征中国谋士智慧影响的那些历史瞬间。

内容简介

儒家经典

儒家是孔子创立，经孟子发展、荀子集大成，之后绵延不断，至今仍有一定生命力的学术流派。儒家文化不仅是一种文化形态，历经千年，它已经融入中国人的价值观和生活方式中。儒家主张人的生活方式应该符合“礼”，“礼”的观念反映在中国人生活的方方面面。了解中华文化，不可不读儒家经典。

《周易》

《周易》是中国传统思想文化中自然哲学与人文实践的理论根源，是华夏传统文化的杰出代表，亦是中华文明的源头活水。

《论语》

《论语》是中国古代儒家的一部重要典籍，是孔子弟子及其再传弟子关于孔子言行的记录。所记录的内容涉及哲学、道德、政治、教育、时事、生活、历史、人物等方面，是研究孔子生平和思想的主要依据。

《诗经》

《诗经》是我国第一部诗歌总集，收集了自西周初年至春秋中叶五百多年的诗歌305篇。先秦称为《诗》，或取其整数称《诗三百》《三百篇》。西汉时被尊为儒家经典，称为《诗经》，并沿用至今。

《尚书》

《尚书》是我国第一部上古历史文献和部分追述古代事迹著作的汇编，其中保存了大量极为珍贵的先秦思想、政治、文化等方面的历史资料，战国时总称为《书》，西汉时期改称为《尚书》。

《礼记》

《礼记》是研究我国古代社会生活、典章制度和儒家思想的重要著作。初时据说有一百多篇，后被汉朝学者戴德简化为 85 篇，世人称《大戴礼记》。戴德之侄戴圣在《大戴礼记》的基础上，再一次进行简化，终为 49 篇，称为《小戴礼记》。目前常见的《礼记》版本一般为《小戴礼记》。

《春秋左氏传》

《春秋左氏传》简称《左传》，记载了自鲁隐公元年至鲁哀公二十七年共 254 年的历史，是我国现存最早的编年体史书，也是研究先秦历史和儒家思想的重要文献，可以说是一部展现春秋历史全貌的百科全书。

《孟子》

《孟子》是一部记录孟子及其弟子言行的著作，有很多长篇大论，还有很多机智的辩论。其写法也对后世产生了深远的影响。

《尔雅》

《尔雅》是我国第一部按义类编排的综合性辞书，它首创的按意义分类编排的体例和多种释词方法，对后代词书、类书的发展产生了很大的影响。之后的训诂学、音韵学、词源学、文字学、方言学乃至医药本草著作，都基本遵循了它的体例。

《孝经》

《孝经》是一部关于“孝道”的专著，集中阐述了儒家的伦理思想。本书以详细的注解及译文重现了先贤圣哲的智慧光芒，既通俗易懂又不失严谨。

诸子百家

诸子百家，是先秦时期各个学术派别的总称。这一时期，各种思想学术流派争芳斗艳，群星闪耀，形成了百家争鸣的繁荣局面。读诸子之道，如同欣赏中华文化园地中百花齐放的盛景。

《道德经》

《道德经》是中国第一智慧书和哲学书，其内容从多方面论述宇宙的本体、万物之源、自然规律等，并将其意义融入现实自然、社会、国家、民生等众多方面，透露人生的智慧和命运的哲理。

《庄子》

《庄子》是继《老子》之后体现道家学说的一部极其重要的作品。全书以《内篇》为核心，以其深邃的思想内容和奇诡的创作手法，在先秦诸子散文中独树一帜，是一部洋溢着浪漫主义精神的散文集。

《墨子》

《墨子》为战国百家中墨家的经典。《墨子》分为两大部分：一部分记载墨子言行，阐述墨子思想，主要反映了前期墨家思想；另一部分一般称作《墨辩》或《墨经》，着重阐述墨家的认识论和逻辑思想，反映了后期墨家思想。

《管子》

《管子》是一部记录中国春秋时期齐国政治家 、思想家管仲及战国齐国稷下学派言行、言论和事迹的书。

其内容庞杂，其中阐述的先秦时期货币经济思想，是极为难得的经济史资料。

《荀子》

《荀子》不仅仅是儒家思想的集大成之作，更兼采了道家、墨家、名家、法家等诸家学说中的思想成分，郭沫若将《荀子》与《孟子》《庄子》《韩非子》并列，称为先秦文学的“四大台柱”。

《韩非子》

《韩非子》是法家思想的集大成之作，是古代政治学方面的名著。其学说的核心是以君主专制为基础的法、术、势思想，强调以法治国、以利用人，对秦、汉以后中国封建社会制度的建立产生了重大影响。

《商君书》

《商君书》是由商鞅的言行和思想及法家后学著作汇编而成。书中主张依法治国、重农抑商、重战尚武、重刑轻赏，贬斥儒家学说、纵横家及游侠。《商君书》作为法家代表作，影响中国几千年，是历代帝王必读的治国宝卷。

《吕氏春秋》

《吕氏春秋》是在秦国丞相吕不韦主持下，集合门客们编撰的一部黄老道家名著。此书以道家思想为主干贯穿全书始终，成为当时秦国统一天下、治理国家的主要思想武器。

《晏子春秋》

《晏子春秋》是记载春秋时期齐国政治家晏婴言行的一部历史典籍。书中记载了晏婴劝告君主勿贪图享乐，应勤政、爱护百姓、任用贤能和虚心纳谏的诸多事例，成为后世人学习的榜样。

《淮南子》

《淮南子》又名《淮南鸿烈》，原书内篇二十一卷，中篇八卷，外篇三十三卷，至今存世的只有内篇。它以道家思想为主，同时夹杂着先秦各家的学说。梁启超称其“汉人著述中第一流也”。

《列子》

《列子》是中国古代先秦思想文化史上著名的典籍，属于道家学派著作，是一部智慧之书。其书默察造化消息之运，发扬黄老之幽隐，简劲宠妙，辞旨纵横，是道家义理不可或缺的部分。

蒙学经典

蒙学读物是中国古代专为学童启蒙教育而编写的。蒙学读物内容丰富，包罗万象，涉及语言文字、天文地理、行为规范等诸多方面，是孩童初涉人世、了解社会的窗口。经历了时代考验而流传至今的古代蒙学读物，依然散发着独特的魅力。

《三字经·百家姓·千字文·弟子规》

《三字经》《百家姓》《千字文》和《弟子规》，涵盖了我国古代蒙学读物的精华要义。它们用简明的语言，将中国历史、文化、社会、人生、地理，以及天文等内容都涵盖进去，是我国古代蒙学中的固定读物。

《增广贤文》

《增广贤文》是古代著名的儿童启蒙读物。其内容从礼仪道德、典章制度到天文地理、风物典故，囊括了中国几千年文化的精髓，是对中国古人处世经验、智慧和原则的总结。

《千家诗》

《千家诗》是流传极其广泛、影响极其深远的带有启蒙性质的诗歌选本，所选的诗歌大多是唐宋时期的名家名篇，且题材多样，易学好懂，较为广泛地反映了唐宋时代的社会现实。

《童蒙须知·小学·朱子治家格言》

《童蒙须知》《小学》和《朱子治家格言》是在“蒙学”教育中有深远影响的三部作品，其皆以“养正”为主旨，由此而说开去，伸向生活的各个方面。此为儒家教育一次身心的洗礼，更是教授稚童正身、慎言、明理的良师益友。

《声律启蒙·笠翁对韵》

《声律启蒙》《笠翁对韵》是两部阐述音韵格律、作诗对句的启蒙读物，对于儿童作诗对句、掌握声韵格律具有非常大的作用。这两部启蒙读物读起来朗朗上口，让儿童得到诗词技巧训练的同时，还能使其学到丰富的传统文化知识。

《幼学琼林》

《幼学琼林》是一部中国古代文化常识小百科，其资料不仅来源于群经正史、诸子百家，还涉及许多稗官野史、方志异闻和俗语俚谚。文字对偶成句，朗朗上口，易读易记。

《龙文鞭影》

《龙文鞭影》从《庄子》和古代神话、小说、笔记等书中广泛收集故事，辑录了历史上许多著名人物的逸闻趣事。语言简练扼要，而能阐明故事梗概，可称之为一部典故大全。

《格言联璧》

《格言联璧》是清代学者金缨收集编写的一部浅近格言集，以修身、齐家、治国为纲领，包含诚意、正心、格物、致知、修身、齐家、治国、平天下等内容，分为存养、齐家等十一篇，具有很强的启发性。

历史地理

我国的历史著作不仅如实叙写历史事实，文学性也非常突出，尤其在人物形象的刻画、语言文字的运用、寓言故事等方面具有非常鲜明的艺术特色。中国古人很早就对赖以生存的自然与人文环境开始了探究。随着时间的推移，逐渐形成了一系列的地理著作。这些著作以优美的笔触记录下了大自然的鬼斧神工，还为我们今日的地理研究留下了许多宝贵的文字资料。

《战国策》

《战国策》记载了战国时期的谋臣、策士们在游说列国时所提出的种种有关政治、军事、外交等方面的主张和策略，以及他们游说活动的过程，充满了雄辩的论述和辩难，具有独特的艺术魅力。

《国语》

《国语》是我国先秦时期一部记载了西周、春秋时周、鲁、齐、晋、郑、楚、吴、越八国人物、事迹、言论的国别史杂记。全书以春秋时各国著名人物为主线，客观叙述了他们身上发生的典型故事，是一部通俗易懂的史学精品。

《史记》

《史记》是我国第一部纪传体通史，也是我国史籍中最有成就的著作之一。《史记》中的内容博大精深，文化底蕴最为深厚，既是一部历史著作，也是文学名著，并可将其作为政治著作阅读、品味。

《三国志》

《三国志》记叙了自汉末至晋初近百年间中国由分裂走向统一的历史全貌，是“二十四史”中评价最高的

“前四史”之一。在记载魏、蜀、吴三国时，该书所采用的风格各不相同。《魏志》记载较详细；《蜀志》虽简明，但所记之事较多，并且叙述得体；《吴志》则比前两个略差。

《贞观政要》

《贞观政要》是唐代一部政论性史书，其内容以记言为主，将贞观年间唐太宗李世民与大臣魏徵、王珪、房玄龄、杜如晦等人关于施政的各种见解做了记录，此外一些大臣的谏议和劝谏奏疏也出现在其中。

《资治通鉴》

《资治通鉴》是北宋司马光主编的一部编年体通史。它以时间为纲，事件为目，记载了上起周威烈王二十三年（前403），下讫后周世宗显德六年（959）共16朝1362年的史事。

《群书治要》

《群书治要》是唐初著名谏官魏徵及虞世南、褚遂良等受命于唐太宗李世民，以辑录前人著述做读书，为唐太宗“偃武修文”“治国安邦”，创建“贞观之治”提供警示的匡政巨著。

《山海经》

《山海经》是我国现存最古老的经典著作之一，与《易经》《黄帝内经》并称为“上古三大奇书”。这部奇书除了详细介绍中华腹地的山川宝藏，还保存了大量的神话资料，并涉及学术领域的各个方面，可谓包罗万象。

《水经注》

《水经》成书于三国时期，是一部研究河流水道的书籍。原文只一万多字，《水经注》在此基础上进行丰富，详细记录了与这些河流水道相关的地理环境、风俗民情、城市兴衰、人文历史、神话传说等。

《徐霞客游记》

《徐霞客游记》是一部日记体的地理游记。书中对地理、水文、地质、植物等现象均做了详细记录，写景记事，笔触细腻，内容丰赡，文笔隽永，具有地理学、文学以及史学价值。

谋略智慧

读书，可以让我们获取更多的经验、了解更多的知识、感悟更多的情感、领会更多的道理、内化更多的智慧。如果于世道人情想见人所未见，察人所未察，则不可不读谋略智慧方面的经典著作。这些著作涵盖历代智谋，将儒、道、法、兵、阴阳等各派思想智慧都涵括在内，气象万千。

《鬼谷子》

《鬼谷子》一书是鬼谷子思想的集大成之作，是纵横游说之术的高度总结，堪称一部专门探讨古代政治权谋的智慧宝典，一直被中国古代军事家、政治家和外交家所研究。

《孙子兵法》

《孙子兵法》又称《孙武兵法》《吴孙子兵法》《孙子兵书》《孙武兵书》等，是中国现存最早的兵书，也是世界上最早的军事著作，被誉为“兵学圣典”。它处处体现了道家与兵家的哲学，对后世影响深远。

《三十六计》

《三十六计》语源于南北朝，成书于明清，按计名排列，共分六套，即胜战计、敌战计、攻战计、混战计、并战计、败战计，每套各包含六计，总共三十六计。每计名称后的解说，含有朴素的军事辩证法的因素。

《六韬·三略》

《六韬》又称《太公六韬》《太公兵法》，是中国古代一部具有重要价值的兵书，全篇采用周文王、武王与姜太公问答的行文方式，论述治国、治军和战术战略等方面的理论，被誉为兵家权谋的开山之作。《三略》

又叫《黄石公三略》，是中国古代著名的专讲兵法战略，兼顾军事战略的奇书，传说为西汉初期黄石公传授给张良的。全书分为上略、中略、下略：上略主要讲设立礼赏、辨别奸雄和显现成败；中略讲述区别德行、研究权变；下略剖析道德，明察安危得失，分辨善恶。

《素书》

《素书》以道家思想为宗旨，集儒、法、兵的思想发挥道的作用及功能，同时以道、德、仁、义、礼为立身治国的根本，揆度宇宙万物自然运化的理数，以此认识事物、对应事物、处理事物。

《忍经·劝忍百箴》

《忍经》与《劝忍百箴》合到一起，从“忍”字出发，融合百家智慧，从更全面的角度阐释了“忍”的意义与智慧。

《智囊》

《智囊》是一部帮助人们排忧解难和克敌制胜的处世奇书。全书既有政治、军事、外交方面的大谋略，也有小人物日常生活中的聪明才智。这些故事汇成了中华民族古代智慧的海洋。

《人物志》

《人物志》是一部系统品鉴人物才性的玄学著作，也是一部研究魏晋学术思想的重要参考书。其将才、德并列标举，作为选拔人才的标准，被明代人推崇为夏商周三代以来第一流的人才学著作。

《长短经》

《长短经》，又叫《反经》，是一部集儒家、道家、法家、兵家、杂家和阴阳家思想之大成的谋略全书。它以谋略为经、历史为纬，着眼于权谋政治和知人善任两个重点，记述国家兴亡、权变谋略、举荐贤能、人间善恶四大方面的内容。

《处世悬镜》

《处世悬镜》是一部教人为人处世的经典，字字珠玑，对现代社会中的我们仍有宝贵的借鉴意义。全书短小精悍却蕴含人生百态，成为《菜根谭》《小窗幽记》等处世哲学著作的开先河之作。

《呻吟语》

《呻吟语》是一部语录体、箴言体的小品文集，综采百家思想，但仍以儒家思想为核心。全书在风格上，行文张弛有度，形随意移，文字亦庄亦谐，极重文学性、趣味性、哲理性。

《止学》

《止学》是一部关于胜败荣辱的绝学，是以道家思想论处世之道的典范之作。由隋朝大儒王通（文中子）所作，“止”的思想古已有之，《道德经》《庄子》《论语》都有所涉猎，但作为一种专门学问，王通是历史上第一个集大成者。

中華國學經典百部

第一辑

精華本